Les châteaux forts

Stephanie Turnbull

Maquette : Laura Parker
Illustrations : Colin King

Illustration de la couverture : Ian Jackson
Autres illustrations : Adam Larkum
Expert-conseil : Abigail Wheatley, professeur
d'histoire médiévale à l'université d'York

Pour l'édition française :
Traduction : Pascal Varejka
Rédaction : Renée Chaspoul et Anna Sánchez

Sommaire

3 Perché sur une colline

4 Une immense maison

6 En bois ou en pierre

8 Le donjon

10 La vie de château

12 Les divertissements

14 La chasse

16 À la cuisine

18 De fabuleux festins

20 Les chevaliers

22 Une joute

24 À l'attaque !

26 La défense

28 Les châteaux en ruine

30 Vocabulaire

31 Sites Web

32 Index

Perché sur une colline

Les ruines d'un grand château en pierre dominent la colline. Il y a plusieurs siècles, ce château fort était plein de vie.

Certains châteaux forts étaient construits sur une falaise, pour surveiller la mer.

Une immense maison

Les châteaux forts étaient construits pour des gens riches et puissants : des seigneurs, des rois et des reines.

Les serviteurs travaillaient et vivaient à l'intérieur du château.

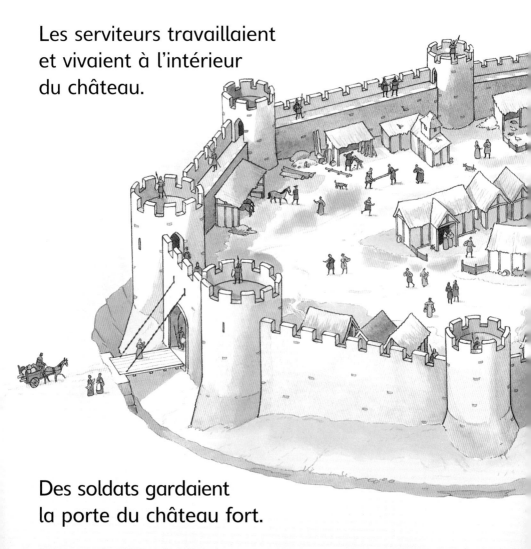

Des soldats gardaient la porte du château fort.

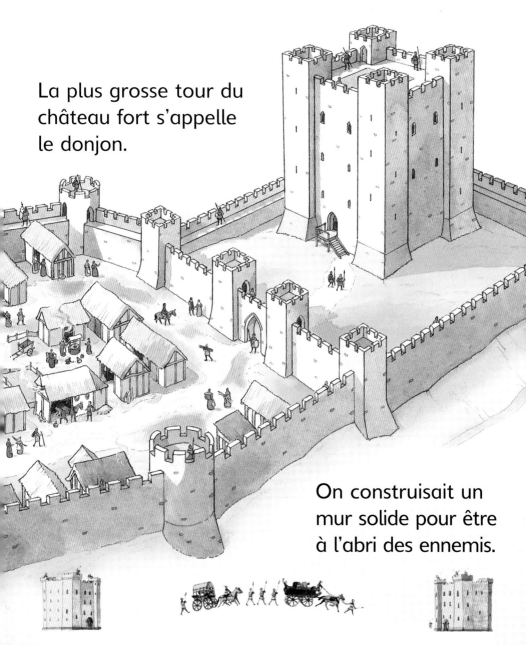

La plus grosse tour du château fort s'appelle le donjon.

On construisait un mur solide pour être à l'abri des ennemis.

Les gens riches avaient plusieurs châteaux forts. Quand ils se lassaient d'un château, ils allaient dans un autre.

En bois ou en pierre

Certains châteaux forts étaient en bois. Le donjon était construit sur une haute butte de terre.

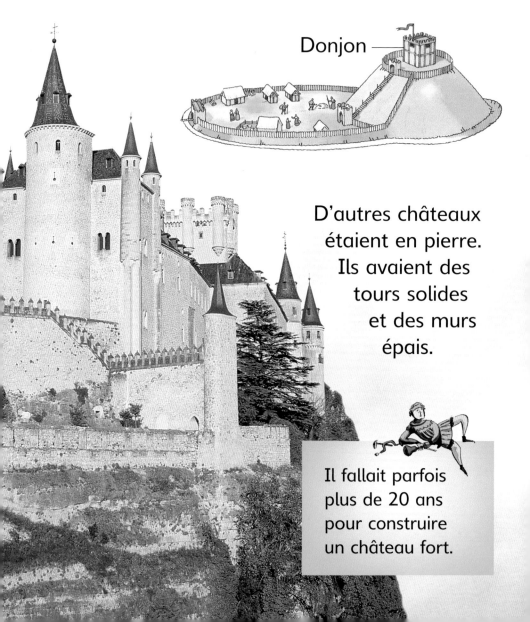

Donjon

D'autres châteaux étaient en pierre. Ils avaient des tours solides et des murs épais.

Il fallait parfois plus de 20 ans pour construire un château fort.

Certains châteaux forts étaient entourés d'eau. On appelle cela des douves. Les douves empêchaient les ennemis de s'approcher du château.

Les gens franchissaient les douves sur une plate-forme en bois appelée pont-levis.

Si des ennemis approchaient, on relevait le pont-levis à l'aide de chaînes.

Le donjon

Il y avait beaucoup de pièces dans le donjon.
Le seigneur et sa famille vivaient dans les plus belles pièces.

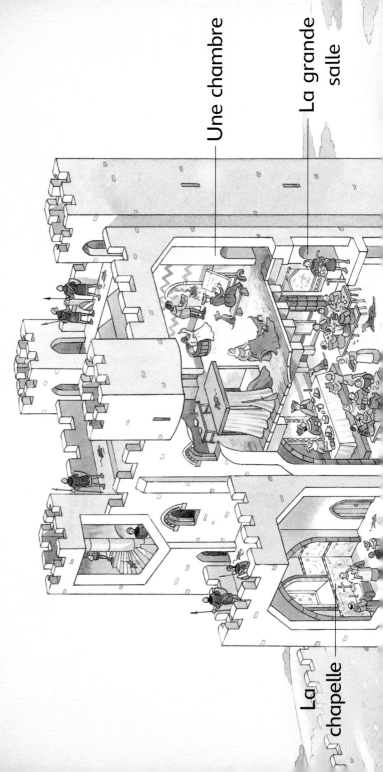

Une chambre

La grande
salle

La
chapelle

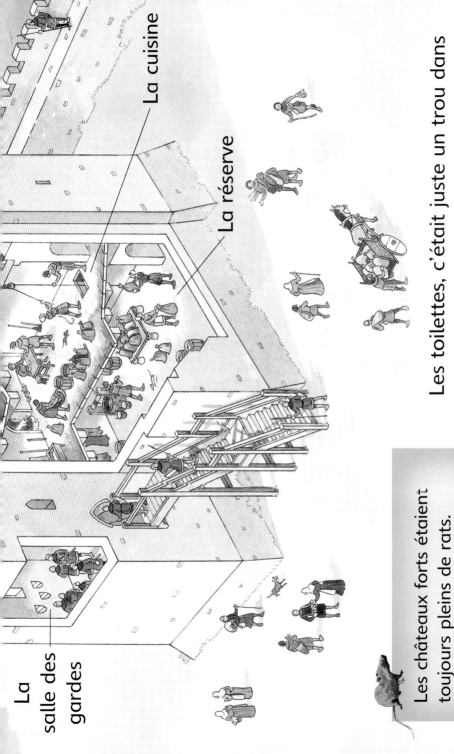

La salle des gardes

La cuisine

La réserve

Les châteaux forts étaient toujours pleins de rats. En vois-tu dix ici ?

Les toilettes, c'était juste un trou dans le sol. Une « canalisation » aboutissait à une fosse hors du château.

9

La vie de château

Les maîtres du château vivaient dans des pièces confortables. Ils dormaient dans des lits moelleux.

Dans leur lit entouré de rideaux, ils étaient bien au chaud.

Les serviteurs, eux, dormaient sur le sol dur et froid.

Les gens se levaient tôt. On sonnait parfois une cloche à l'aube pour réveiller tout le monde.

Les châteaux en pierre étaient humides et froids.
Les pièces étaient chauffées par de grands feux.

Les gens se baignaient dans des baquets en bois.
Des serviteurs faisaient chauffer l'eau.

Il y avait beaucoup de bruit : les enfants jouaient,
les serviteurs travaillaient et les chiens aboyaient.

Les divertissements

À l'époque des châteaux forts, la télévision n'existait pas. Les gens devaient se distraire autrement.

Des acrobates venaient présenter leurs numéros dans les châteaux.

Des jongleurs jonglaient avec balles ou couteaux.

Des musiciens chantaient et jouaient de divers instruments.

Il y avait souvent un bouffon. Il racontait des plaisanteries pour amuser les gens.

Cette illustration a été peinte il y a près de 700 ans. Elle montre un groupe de musiciens en train de jouer pour un roi.

La chasse

Les seigneurs et les nobles dames aimaient chasser.
On dressait des oiseaux appelés faucons pour la
chasse. Voici quatre étapes du dressage.

1. Le faucon
s'habituait à être
porté et nourri.

2. Il attrapait des
bouts de viande en
restant attaché.

3. Ensuite, le faucon
pouvait voler
librement.

4. Il tuait des oiseaux,
qu'il rapportait à son
maître.

Pour que le faucon
reste tranquille quand
on le sortait, on lui
mettait un chaperon
sur la tête.

C'était très chic d'avoir
un faucon. Les gens les
emmenaient partout
avec eux.

À la cuisine

À l'intérieur du château, il y avait une grande cuisine où on préparait tous les repas.

On rôtissait la viande au-dessus du feu, sur une longue broche.

Voilà à quoi pouvait ressembler une partie de la cuisine d'un château fort.

1. Pour cuire le pain, les boulangers allumaient le feu dans le four.

2. Ils pétrissaient la pâte et en faisaient des pains.

3. Ils mettaient les pains dans le four quand le feu s'éteignait.

4. Le four était toujours chaud et le pain cuisait rapidement.

Comme il n'y avait pas de réfrigérateur, les aliments s'abîmaient vite. Les cuisiniers ajoutaient des épices pour masquer leur mauvais goût.

De fabuleux festins

De grands repas, appelés festins, étaient servis dans la grande salle du château.

Les invités importants mangeaient à la table d'honneur.

Les autres s'asseyaient sur de longs bancs.

Il n'y avait pas de fourchettes à cette époque. On mangeait avec les doigts.

On mangeait beaucoup
de viande et de poisson.

Les plats étaient ornés
de plumes et de fruits.

On montrait de splendides petits châteaux de
sucre et de papier pour impressionner les invités.

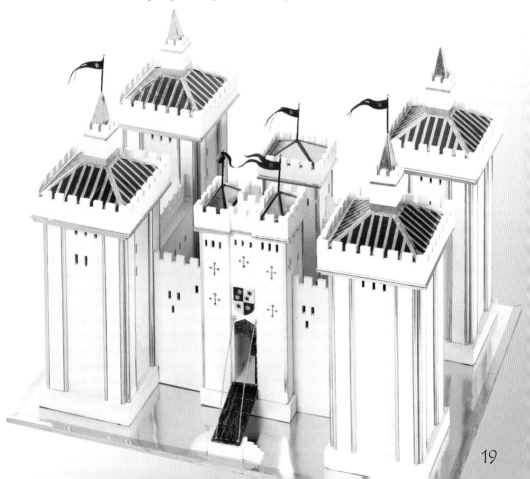

Les chevaliers

Les chevaliers étaient des guerriers riches et puissants. Ils défendaient le château fort contre les ennemis.

Chaque chevalier avait un bouclier orné de formes ou de figures différentes.

D'abord, le chevalier mettait une grosse veste rembourrée.

Puis il enfilait une tunique en métal, la cotte de mailles.

Des plaques de métal lui couvraient bras, jambes et poitrine.

Ensuite, il mettait un long surcot et de gros gants.

Il portait un lourd casque en métal sur la tête.

Son bouclier en bois lui servait à se protéger.

Une joute

Une joute était un combat simulé entre deux chevaliers.

Les chevaliers étaient armés d'une longue lance et d'un bouclier.

Ils montaient un cheval robuste appelé destrier.

Le vainqueur d'une joute remportait un prix : c'était parfois le cheval et les armes du chevalier battu.

Les deux chevaliers fonçaient l'un vers l'autre sur une piste étroite.

Avec sa lance, chaque chevalier tentait de faire tomber son adversaire.

Le vainqueur était le chevalier qui réussissait à rester à cheval.

À l'attaque !

Parfois, les châteaux étaient attaqués. L'ennemi se servait souvent d'une machine appelée catapulte.

1. Les soldats abaissaient un grand levier.

2. Ils le remplissaient de grosses pierres.

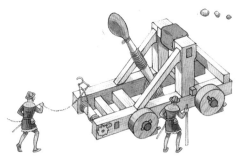 

3. Puis ils libéraient brusquement le levier.

4. Les pierres allaient percuter les murs.

Souvent, les ennemis lançaient des animaux morts dans les châteaux pour répandre des maladies.

Cette peinture ancienne
montre une bataille devant
un château fort que les
ennemis veulent
prendre.

La défense

Les soldats essayaient de défendre leur château contre les ennemis.

Ils jetaient des pierres ou de l'eau bouillante sur ceux qui s'approchaient.

Parfois, les ennemis se déguisaient pour entrer sans être reconnus.

Les soldats étaient armés d'arcs et de flèches pointues, comme celui-ci.

Ils tiraient leurs flèches par d'étroites fentes appelées meurtrières.

Ce château a beaucoup de meurtrières. Les soldats tiraient aussi des flèches depuis le toit.

Les châteaux en ruine

Aujourd'hui, la plupart des châteaux forts sont abandonnés et en ruine.

Voilà à quoi ressemblait
le château de Raglan,
au pays de Galles,
il y a 400 ans.

Et voilà à quoi il
ressemble aujourd'hui.

Certains châteaux
ont été détruits
lors d'attaques
ennemies.

Seule une partie
de cette tour est
encore debout.

Certains châteaux ont été
aujourd'hui reconstruits et
des gens y habitent.

Vocabulaire de château fort

Voici la liste de quelques-uns des mots utilisés dans ce livre, avec leur définition. Peut-être ne les connaissais-tu pas.

 donjon : la plus grosse tour du château fort. En général, un mur l'entourait.

 pont-levis : pont que l'on relevait pour que les ennemis ne puissent pas entrer.

 faucon : gros oiseau. On peut dresser les faucons à chasser des petits oiseaux.

 festin : repas pour un grand nombre de gens ; on y mange et on y boit beaucoup.

 bouclier : solide plaque de bois. Les chevaliers en avaient un pour se protéger.

 joute : jeu au cours duquel deux chevaliers essayaient de se faire tomber de cheval.

 catapulte : machine qui pouvait lancer en l'air de grosses pierres ou d'autres choses.

Sites Web

Si tu as un ordinateur, tu peux chercher sur Internet d'autres informations sur les châteaux forts. Sur le site Quicklinks d'Usborne, tu peux déjà te connecter aux trois sites suivants :

Site 1 : Tu peux trouver des détails supplémentaires sur la vie dans un château fort et sur la formation du chevalier.

Site 2 : Un diagramme qui présente les différentes parties d'une armure, avec leur nom.

Site 3 : Tu peux imprimer un château fort et le colorier.

Pour accéder à ces sites, connecte-toi au site Web Quicklinks d'Usborne sur **www.usborne-quicklinks.com/fr**. Lis les conseils de sécurité et tape le titre du livre.

Les sites Web sont examinés régulièrement et les liens donnés sur le site Quicklinks d'Usborne sont mis à jour. Les éditions Usborne déclinent toute responsabilité concernant la disponibilité ou le contenu de tout site autre que le leur. Nous recommandons d'encadrer les enfants lorsqu'ils utilisent Internet.

Index

acrobates 12
arcs et flèches 27
bouclier 20, 21, 22, 30
bouffon 12
catapulte 24, 30
chambre 8, 10
chapelle 8
chasse 14-15
châteaux en bois 6
châteaux en ruine 28-29
chevaliers 20-21, 22-23
combats 24-25, 26-27, 29
cuisine 9, 16-17
donjon 5, 6, 8-9, 30
douves 7

faucons 14-15, 30
festin 18-19, 30
grande salle 8, 18
jongleurs 12
joutes 22-23, 30
musiciens 12, 13
nourriture 9, 16, 17, 18, 19
pont-levis 7, 30
rats 9
réserve 9
salle des gardes 9
se laver 11
serviteurs 4, 10, 11
soldats 4, 24, 25, 26, 27
toilettes 9

Remerciements

Rédactrice en chef : Fiona Watt, Directrice de la maquette : Mary Cartwright
Manipulation photo : Emma Julings
Avec nos remerciements à Grace Bryan-Brown et au National Trust pour la maquette page 19

Crédits photographiques
Les éditeurs remercient les personnes et organismes suivants pour l'autorisation de reproduire
leurs documents : © **The Bridgeman Art Library :** 1 (Bibliothèque Royale de Belgique, Bruxelles) ;
© **CORBIS :** 2-3 Château de Dunnottar (Charles Philip), 15 (Yann Arthus-Bertrand), 25 (Historical
Picture Archive), 27 (Araldo de Luca), 28 (Chris Bland ; Eye Ubiquitous), 31 Château de
Neuschwanstein (Ric Ergenbright) ; **Crown Copyright CADW : Welsh Historic Monuments :** 20 ;
© **E & E Picture Library :** 7 Château de Bodiam (Mike Morton) ; © **English Heritage Photo Library :**
29 Château de Helmsley ; © **Getty Images :** 6 Château de l'Alcazar (Gary Cralle), 22 (Pete Dancs) ;
Crown copyright : Historic Royal Palaces : 16 (détail de la grande cuisine d'Hampton Court Palace) ;
© **Lebrecht Collection :** 13 ; © **Leeds Castle :** 10 (Angelo Hornak).